ZZZZZZ

GANGS DE RUE

Adresse municipale :

Les éditions Un monde différent
3905, rue Isabelle, bureau 101
Brossard, (Québec), Canada
J4Y 2R2
Tél. : 450 656-2660 ou 1 800 443-2582
Téléc. : 450 659-9328
Site Internet : www.umd.ca
Courriel : info@umd.ca

Adresse postale :

Les éditions Un monde différent
C.P. 51546
Greenfield Park (Québec)
J4V 3N8

Dépôts légaux : 1er trimestre 2014
Bibliothèque et Archives nationales du Québec
Bibliothèque et Archives Canada

Conception et dessins :
MARC BEAUDET

Textes :
LUC BOILY

Idée originale :
MARC BEAUDET

Graphisme :
OLIVIER LASSER

Photocomposition et mise en pages :
MARC BEAUDET

ISBN 978-2-89225-833-2

Nous reconnaissons l'aide financière du gouvernement du Canada par l'entremise
du Fonds du livre du Canada (FLC) pour nos activités d'édition.

Gouvernement du Québec – Programme de crédit d'impôt pour l'édition de livres
– Gestion SODEC.

Gouvernement du Québec – Programme d'aide à l'édition de la SODEC.

IMPRIMÉ AU CANADA

DESSINS MARC BEAUDET
TEXTES LUC BOILY

GANGS DE RUE

ALERTE ROUGE

UN MONDE DIFFÉRENT

Aux deux plus grandes fiertés et créations de ma vie,
mes fils Alexis et Raphaël Beaudet,

les VRAIS Alex et Raph de la BD, sans qui,
ce que vous tenez dans vos mains, n'existerait pas.

Et à mon amoureuse Katy Lévesque, leur maman,
sans qui, ils n'existeraient pas.

MARC BEAUDET

À Éloi et Antoine, mes garçons, mes amours.

Et en souvenir de mon oncle Olivier Dallaire d'Arvida
(1923-2012). Son implication dans le sport aura permis
à plus d'un jeune de se dégourdir… et de se découvrir.

LUC BOILY

BONJOUR À TOUS. AVANT DE DÉVOILER LA VILLE GAGNANTE, JE TIENS À FÉLICITER LES TROIS FINALISTES POUR L'EXCELLENCE DE LEUR DOSSIER. SOIT, MOOSE JAW ET SON IDÉE D'OPPOSER DES ÉQUIPES COMPOSÉES D'UN JOUEUR PAR NIVEAU D'ATOME À MIDGET; GUELPH POUR SON PROJET DE RECONSTITUER LA SÉRIE DU SIÈCLE EN HOCKEY SUR TABLE; ET BELLERIVE ET SA PROPOSITION D'EN FAIRE UNE SÉRIE DE HOCKEY DE RUE.

D. FENCE
Trésorier COC

M. INBUT
Président COC

B. STRONG
V.-p. COC

...ET LA VILLE GAGNANTE EST...

3B

BELLERIVE, QUÉBEC.

Bellerive,
Québec

VOILÀ QUI DEVRAIT FAIRE BIEN DES HEUREUX!

WTF? ÇA NE SE PEUT PAS, NOTRE CANADA REPRÉSENTÉ PAR UNE GANG DE FROGS ?!? C'EST UN OUTRAGE. IL FAUT ALLER EN COUR SUPRÊME. OÙ EST L'ONU QUAND ON A BESOIN D'ELLE?

HEUREU-SEMENT, ON TROUVA UNE SOLUTION.

LES TROIS VILLES AVAIENT UN DOSSIER IMPECCABLE, MAIS BELLERIVE SE DÉMARQUE PARCE QUE SON PROJET INCLUT UNE ACTIVITÉ PHYSIQUE, SE JOUANT EN ÉQUIPE, POUVANT ÊTRE PRATIQUÉE À L'EXTÉRIEUR, EN TOUTE SAISON, ÉCONOMIQUE, ET TOUT EN POUVANT OFFRIR UN HAUT DEGRÉ DE COMPÉTITION.

D. FENCE
Trésorier COC

M. INBUT
Président CO

IL VA SE RÉVEILLER DANS DEUX, TROIS HEURES, MAIS PROBABLEMENT QU'IL TIENDRA DES PROPOS INCOHÉRENTS PENDANT QUELQUES JOURS.

QUELQUES JOURS !!! ON A BESOIN DE PLUS QUE ÇA, SON CONTRAT FINIT DANS QUATRE ANS.

EN FAIT, ILS NE MANQUERONT PAS D'ÉCOLE. J'AI SUGGÉRÉ À LA COMMISSION SCOLAIRE QU'ILS REPRENNENT LEUR ABSENCE LORS DE LA SEMAINE DE RELÂCHE EN MARS.

WOW, ALLEZ-VOUS AVOIR DES «BONNES» IDÉES COMME ÇA TOUT LE LONG DU VOYAGE?

PROBABLEMENT, C'EST MOI VOTRE MAIRE!

LE LENDEMAIN AU CENTRE SPORTIF À 7H... SHARP! 6A

ON VA COMMENCER PAR FAIRE 25 TOURS DU TERRAIN À LA COURSE.

25!?!

SÉRIEUX?

BEN LÀ !!

ON JOUE AU HOCKEY PAS AU MARATHON.

ON NE FAIT PAS LES OLYMPIQUES... JUSTE UN ÉVÉNEMENT PARALLÈLE.

VOUS AVEZ INTÉRÊT À ÉCOUTER VOTRE COACH. I BET LES RUSSIANS TRAVAILLENT TRWÈS FÖRT!

AU MÊME MOMENT, À 9,143 KM DE LÀ. 6B

ОИ VД СОММЄИСЄЯ РДЯ FДIЯЄ 25 TOUЯS DU TЄЯЯДIИ Д LД COUЯSЄ.

OUI, MOИSIЄUЯ!

POSSÉDANT UN TIR PUISSANT, PIERRE VOIT À DÉVELOPPER SA PRÉCISION.

ALEX, LUI, TENTE DE COMPENSER SA PETITE TAILLE EN AUGMENTANT SA MASSE MUSCULAIRE.

ALORS QUE CHARRON... DISONS QU'IL FAIT BEN DES EFFORTS.

À L'ÉCOLE AUSSI ON SE PRÉPARE.

Cours d'histoire

LA RUSSIE EST UNE FÉDÉRATION CONSTITUÉE DE 85 ENTITÉS ADMINISTRATIVES, COMME DES RÉPUBLIQUES, DES TERRITOIRES, DES DISTRICTS, AYANT DES NIVEAUX DE POUVOIR TRÈS VARIÉS. DONC, POLITIQUEMENT ÇA BRASSE BEAUCOUP EN RUSSIE. ON N'A QU'À PENSER À LA TCHÉTCHÉNIE, UNE RÉPUBLIQUE QUI LUTTE POUR SON INDÉPENDANCE.

Vladimir Poutine
Place Rouge ?

Y'EN A AUSSI QUI VEULENT DEVENIR UNE RÉPUBLIQUE!

OUI, C'EST LE CAS DE L'HINEXISTAN, UN DISTRICT (OKROUG) QUI LUTTE POUR SE FAIRE RECONNAÎTRE COMME RÉPUBLIQUE.

7A

LE JOUR DE LA SÉLECTION EST ARRIVÉ.

... DE LA GANG DES NOIRS MAINTENANT, BERGERON; TES RÉSULTATS SCOLAIRES SONT TROP FAIBLES. DÉSOLÉ. CHAVEZ; TRÈS BON % D'ARRÊTS, MAIS TU TE PRÉSENTAIS À UNE PRATIQUE SUR DEUX. CHARRON; TES NOTES SONT FAIBLES, MAIS TA MOTIVATION EST EXEMPLAIRE.

SANDY S. TALBOT SERA AU CENTRE ET ÉLODIE DORÉ DANS LES BUTS.

7B

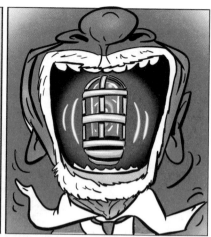

DES FILLES !?! IL VA Y AVOIR DES FILLES DANS L'ÉQUIPE? DONC DANS LE VESTIAIRE? RASSUREZ-MOI QUELQU'UN ET DITES-MOI QUE CE SERA POUR FAIRE LE MÉNAGE?

HEUREUSEMENT, ON TROUVA UNE SOLUTION.

8A

SÉRIEUX, MAM', J'VAIS PAS TRAÎNER ÇA!

C'EST POUR ÉCOUTER LA CASSETTE FRANÇAIS-RUSSE QUE TA TANTE HUGUETTE T'A DONNÉE.

8B

TU ÉCOUTES M. BEN. C'EST LUI QUI SERA RESPONSABLE DE TOI EN TOUT TEMPS.

MERCI, ZOÉ, J'M'ENNUIERAI PAS AVEC TON GAME BOY, TON CASSE-TÊTE ET TA PLASTICINE.

ON DIT PÂTE À MODELER.

← DÉPARTS-DEPARTURES

VOILÀ, TOUS SONT PRÊTS... MÊME CERTAINS DONT ON IGNORE ENCORE L'EXISTENCE...

COИFIЯME ΔЯЯIVÉE Δ MOSCOU. L'OPÉЯΔTIOИ БΔLΔI БOLCHOÏ DÉБUTEЯΔ DΔИS EҖΔCTÉMEИT 12 HEUЯES.

9A

MONTRÉAL, VENDREDI 14H.

ON ARRIVE QUAND À MOSCOU?

DANS EXACTEMENT 12 HEURES.

LA CAPITALE DE L'HINEXISTAN, C'EST KONIVAPÄ.

CEINTURE NOIRE AU JUDO, EX-MEMBRE DU KGB, VLADIMIR POUTINE OCCUPE LA PRÉSIDENCE DEPUIS...

COMMENT S'APPELLE LE PLUS VIEUX RUSSE?

ATLAS *La Russie*

POUTINE

BLAGUES

ITOF MAIYACHÈV... IL TOFFE MAIS Y'ACHÈVE!

9B

PARDON, VOUS ÊTES JOUEUR DE HOCKEY, VOUS AVEZ LE CHANDAIL?

POUTINE

11

... ET FINALEMENT, LE DERNIER ET LE PLUS TANNANT : ZÉNON CHARRON.

J'EN AI UNE BONNE POUR VOUS. COMMENT T'APPELLES ÇA UN CONCIERGE EN RUSSE ?

КОНСБЕРЖ*

*CONCIERGE

NON, ON DIT ITOR LAMOPPE.

JE NE CONNAIS PAS DE IGOR.

PAS IGOR, ITOR... IL TORD!

LA MOPPE... IL TORD LA MOPPE.

IL FAUT Y ALLER, SI ON VEUT AVOIR DU TEMPS POUR VISITER, LE TRAIN POUR SOTCHI PART À 14H.

TU CROIS QU'IL SE DOUTE DE QUELQUE CHOSE ?

C'ÉTAIT PAS LE MAIRE ?

POURTANT, SELON NOS INFORMATEURS, C'ÉTAIT LUI LE PLUS NONO.

ON EST CHANCEUX, HABITUELLEMENT IL FAIT PLUS FROID.

LE KREMLIN EST UNE FORTERESSE URBAINE. IL FUT D'ABORD LA RÉSIDENCE OFFICIELLE DES TSARS, PUIS DES DIRIGEANTS DE L'URSS, ET DEPUIS 1991, LE CENTRE POLITIQUE DE LA FÉDÉRATION DE RUSSIE.

SOTCHI; QUAI N°8, EMBARQUEMENT IMMÉDIAT. FERMETURE AUTOMATIQUE DES PORTES DANS UNE MINUTE.

CLIC!

VITE, PRENEZ N'IMPORTE QUELLE PORTE DU TRAIN DE DROITE. ON SE RETROUVE DANS LE WAGON 3.

TRANS-

ANS-SIBÉRIE

15 MINUTES PLUS TARD.

RIEN! ON A FAIT TOUS LES WAGONS.

...DÈS QUE J'AI D'AUTRES NOUVELLES.

SPASIBA.

QU'EST-CE QU'IL RACONTE?

IL EST À BORD DU TRANS-SIBÉRIE. AU PREMIER ARRÊT, ILS VONT LE RETOURNER VERS MOSCOU. SOYEZ SANS CRAINTE, IL SERA SOUS LA GARDE DE DAME LUDMILA JUSQU'À SON ARRIVÉE À SOTCHI.

LUDMILA?

15

OK, TOUT LE MONDE AU LIT. ON A UNE GROSSE JOURNÉE DEMAIN.

EST-CE UNE RAISON POUR SE COUCHER À 19H?

ON ÉCOUTE LES CONSIGNES, GANG!

VENEZ DANS NOTRE CHAMBRE DANS 10 MINUTES.

CHAMBRE DES GARÇONS.

C'EST VRAI QUE DEMAIN ON RENCONTRE LE PRÉSIDENT POUTINE?

DA!

MOI J'AIME TELLEMENT MON CHANDAIL QUE JE VAIS DORMIR AVEC.

C'EST VRAI QU'IL EST BEAU, MAIS IL MANQUE DE COULEURS, NON?

AILLEURS ON DORT... OU ON FAIT DES ACTIVITÉS PÉRILLEUSES... TRÈS PÉRILLEUSES.

BON LE MOTIF EST CHOISI, L'EMPLACEMENT AUSSI. POUR LA COULEUR, ON N'A PAS LE CHOIX D'Y ALLER AVEC BLEU?

TOC! TOC! TOC!

PHOTOS D'ÉQUIPE.

LA VERSION 2014 DE LA SÉRIE DU SIÈCLE DE '72 VA DÉBUTER DANS UNE HEURE, MAIS L'ACTION EST DÉJÀ COMMENCÉE. L'ENTRAÎNEUR TINOKOV, QUI MÈNE SES TROUPES AVEC UNE DISCIPLINE DE FER, A EU UNE PRISE DE BEC AVEC L'UN DE SES JOUEURS.

DANS MON LIVRE À MOI, IL NE VA PAS APPARAÎTRE SUR LA PHOTO OFFICIELLE. L'HARMONIE RÉGNAIT DU CÔTÉ CANADIEN. LES JOUEURS ARBORAIENT FIÈREMENT UN AJOUT À LEUR CHANDAIL.

19B

 HEUREUSEMENT...

DTHLÈTES DCCAÉDITÉS

BIZARRE COMME MESURES DE SÉCURITÉ.

RUSSES: DTHLÈTES DCCOMPDGIDTEURS, TOUS

LE GOUVERNEMENT RUSSE EST PLUS SUSPICIEUX ENVERS SES PROPRES CITOYENS.

MERCI POUR LES PAROLES.

ALLEZ, ENTREZ, IL NE FAUT PAS FAIRE ATTENDRE LE PRÉSIDENT.

J'ME DEMANDE QUELLE JOKE DE RUSSE, J'VAIS FAIRE À POUTINE?

C'EST PAS LE TEMPS DE FAIRE DES BLAGUES, CHARRON. C'EST LE CHEF D'ÉTAT DU PLUS GRAND PAYS AU MONDE. C'EST LA MOITIÉ DE L'EUROPE ET DE L'ASIE.

POUTINE EST ASIATIQUE?!?

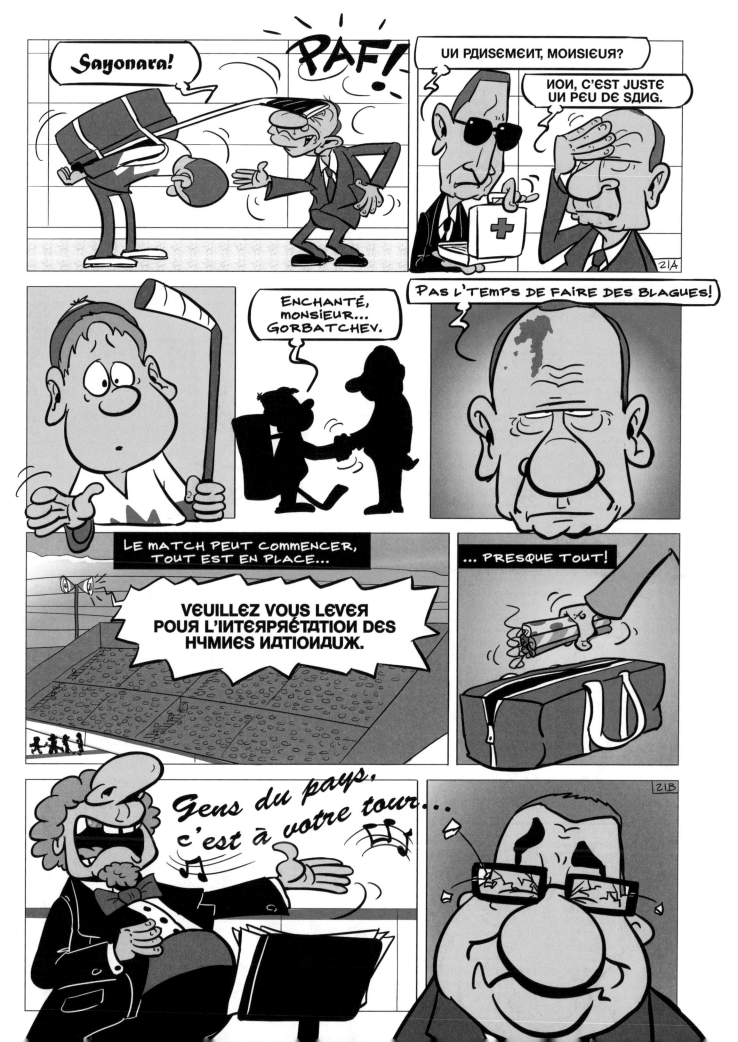

ON IGNORE TOUJOURS LA RAISON DE L'EXPLOSION DANS LE STUDIO VOISIN.

J'PENSE QU'ON CÉLÈBRE LA VICTOIRE DE LA JAMAÏQUE EN BOBSLEIGH.

ET C'EST LE DÉBUT DU PREMIER MATCH.

KOPOV GAGNE LA MISE AU JEU...

...PASSE RAPIDE À SHARAVOPA...

QUI REMET À KAPUT... ET COMPTE!

ILS SONT DON' BEN RAPIDES !!!

JE BOIS À NOTRE VICTOIRE !

4-0

J'VAIS ALLER ME CHERCHER QUELQUE CHOSE À BOIRE, MOI AUSSI!

UN BUT PLUS TARD.

J'EN AI PRIS UN DE PLUS, VOULEZ-VOUS UN CHOCOLAT...?

CHAUD!!

24A

AU MOINS SES BLESSURES SONT AGENCÉES.

OHHH, LE MONSIEUR ÉTAIT PAS CONTENT. IL A LITTÉRALEMENT EXPLOSÉ.

NON, IL A EXPLOSÉ AU SENS FIGURÉ. LITTÉRALEMENT, IL AURAIT FALLU QU'IL SOIT SOUFFLÉ PAR UNE EXPLOSION.

VOUS ÊTES VRAIMENT BON EN FRANÇAIS.

SÛREMENT MEILLEUR EN FRANÇAIS QU'EN EXPLOSIF.

6-0, ON EN MANGE TOUTE UNE.

ÇA POURRAIT ÊTRE PIRE... PENSE À PIERRE QUI EST DANS LE FROID SIBÉRIEN.

24B

24

C'EST LÀ QUE POUTINE A DIT: « S'IL PORTAIT SA CASQUETTE À L'ENDROIT IL NE SERAIT PAS AVEUGLÉ PAR LE SOLEIL ET VISERAIT MIEUX.»

3E PÉRIODE.

TIR D'ALEX SUR RÉCEPTION.

DÉSOLÉ, J'AI PAS BIEN VISÉ. J'AVAIS LE SOLEIL DANS LES YEUX.

POINTAGE FINAL : 4-1

ДОUUUUU

4-1, ÇA NE REPRÉSENTE PAS VRAIMENT L'ALLURE DU MATCH. ÉLO A CONNU UN MAUVAIS DÉPART, MAIS ELLE S'EST RELEVÉE ET NOUS A GARDÉS DANS LE MATCH. À NOUS DE FAIRE PAREIL. OUI, ILS SONT VITE, MAIS ON LIT DE MIEUX EN MIEUX LEURS JEUX. PIS EN PLUS, PIERRE SERA LÀ AU PROCHAIN MATCH.

DE RETOUR À LA MAISON.

DRING !

JE LE PRENDS, C'EST PEUT-ÊTRE PIERRE.

ALLOSKI?

NO IGOR ICI. NIET.

C'EST BEAU, RAPH, J'VAIS LE PRENDRE.

NON, ON IGNORE TOUJOURS CE QUI A ÉTEINT LA MÈCHE. ET ON NE SAIT TOUJOURS PAS SI POUTINE VA ASSISTER À D'AUTRES MATCHS.

TU AURAIS INTÉRÊT À LE SAVOIR, TON LEADERSHIP EST CONTESTÉ.

GRRRR...

C'EST QUOI CETTE FACE DE CARÊME, VOTRE PAYS MÈNE LA SÉRIE DEUX VICTOIRES À ZÉRO?

LA RUSSIE N'EST PAS MON PAYS. JE SUIS UN HINEXISTANTIALISTE ET POUTINE NE VEUT PAS NOUS ACCORDER LE STATUT DE RÉPUBLIQUE.

TU DEVRAIS LUI EN PARLER À LA RÉCEPTION.

IL VA ÊTRE LÀ CE SOIR?!?

OUI, MAIS IL NE FAUT PAS QUE ÇA SE SACHE... ÇA VIENT D'ÊTRE DÉCIDÉ ET ILS N'AURONT PAS LE TEMPS DE SÉCURISER LES LIEUX À 100 %.

PAS UN MOT, JURÉ SUR LA TÊTE DE LA NIÈCE DE MA COUSINE GERMAINE OLGA.

PARLANT D'OLGA... J'VAIS ALLER LUI TÉLÉPHONER.

CETTE FOIS-CI UN MOYEN PLUS DIRECT.

DA!

HÔTEL DE VILLE, MARDI 19 H.

BEN ET CHUCK VOULAIENT REVOIR LE FILM DES MATCHS AVANT DE VENIR NOUS REJOINDRE.

TOUT VA COMME SUR DES ROULETTES...

... RUSSES.

SI JE COMPRENDS BIEN, D'LA VODKA C'EST COMME DU GIN, MAIS EN PLUS TRANSPARENT?

VICTOIRE RUSSE ; 7-3, 4-1. VOUS GARDER MORAL?

CERTAIN! MOI, JE SUIS UN OPTIMISTE INEPTE... EUH INNÉ.

PIS, ON NE PEUT PAS PERDRE...

JE PORTE EN PERMANENCE UNE GROSSE MÉDAILLE DE LA BONNE SAINTE-ANNE.

БІИG!

LE PRÉSIDEИT A ÉTÉ TOUCHÉ!

POUTIИE EST MORT !

J'AI ИEUTRALISÉ LE TUEUR ET SOИ...

C'EST POUR COИFIRMER VOTRE COMMAИDE POUR UИE POUTIИE EXTRA KETCHUP.

... MÉDAILLE!?!

JE NE L'AI PAS ATTAQUÉ, C'EST LA BONNE SAINTE-ANNE QUI L'A SAUVÉ.

RESTEZ AU SOL, MOИSIEUR LE PRÉSIDEИT, VOUS ÊTES HORS DE PORTÉE, OИ VA ÉVACUER LA SALLE D'ABORD.

J'ESPÈRE QU'ON N'A RIEN MANQUÉ.

VOUS AVEZ VU CHUCK, LE TROMBONISTE ? C'EST LE SOSIE DU TUEUR DANS LE FILM L'ASSASSIN JOUAIT DU TROMBONE. DRÔLE DE HASARD.

EN ROUTE VERS LE 3E MATCH.

QU'EST-CE QUE TU AS ACHETÉ, CHARRON?

J'PENSE QUE C'EST UNE FIGURINE EN CHOCOLAT.

C'EST BIEN LES FAILLES QUE BEN ET CHUCK ONT TROUVÉES HIER EN VISIONNANT LES DEUX PREMIERS MATCHS.

OUI, MAIS JE SERAIS PLUS EN CONFIANCE SI PIERRE ÉTAIT LÀ.

ON VA LE SAVOIR BIENTÔT, BEN ET NATASHA PASSAIENT PAR LA GARE. IL EST CENSÉ ARRIVER PAR LE TRAIN DE 15H.

?

PIS PIERRE?

...

PIS?

FINALEMENT, C'EST UN BONBON DUR.

LES NOUVELLES STRATÉGIES DÉVELOPPÉES PAR LES ENTRAÎNEURS PORTENT FRUIT MALGRÉ L'ABSENCE DE PIERRE.

31B

MAIS LA GROSSE MACHINE ROUGE A SU RAPIDEMENT S'AJUSTER, ET ELLE A REPRIS LE CONTRÔLE DU MATCH.

GAUCHE!

3 À 1, 3 À 1, 3 À 1...

...OUI, L'IMPORTANT C'EST DE PARTICIPER... MAIS C'EST PAS UNE RAISON POUR PERDRE! J'VEUX PAS VOUS FAIRE LA MORALE, ENCORE MOINS UN DISCOURS, MÊME SI EN TANT QUE POLITICIEN, C'EST MA FORCE.

J'AI PLUTÔT INVITÉ QUELQU'UN QUI S'Y CONNAÎT EN HOCKEY : GÉRANT TREMBLAY.

SALUT! J'AURAIS PU CONSTRUIRE MON LAÏUS AVEC DES RÉPLIQUES TIRÉES DE LANCE ET COMPTE VU QUE CE SONT DES RÉPLIQUES QUI VIENNENT ELLES-MÊMES DU HOCKEY, MAIS J'AI DÉCIDÉ D'ÊTRE ORIGINAL.

OK, LES RUSSES SONT GROS... SONT FORTS...Y'ONT DES GROSSES ÉPAULES... Y FONT PEUR. MAIS C'EST QUOI VOTRE FORCE, LA GANG? ÇA SERAIT PAS ENTRE LES DEUX OREILLES? LES AMÉRICAINS ONT UNE EXPRESSION QUI DÉCRIT BIEN ÇA :

THE MENTAL... LE MENTAL.

THE MENTAL TOUGHNESS... LA DURETÉ DU MENTAL.

33A

C'EST ÇA QUI VA VOUS FAIRE GAGNER... ÇA, ET RIEN D'AUTRE!

LA PORTE!

GARDEZ ÇA SUR LA TÊTE... EUH, EN TÊTE!

33B

DROITE!

ATTENTION, CHARRON, IL VA PASSER À **TA** GAUCHE!

La balle est récupérée par Alex qui fait une longue passe à Raph, en échappée avec Sandy...

PIERRE, TU COMPRENDS LE RUSSE?

GRÂCE À LUDMILA.

À 19:17, Sandy procure la victoire aux siens en redirigeant un lancer frappé de Pierre, toujours puissant, mais encore aussi imprécis.

Pendant qu'on célèbre la première victoire à la maison...

C'EST ICI !

BONJOUR COUSIN !

BONJOUR... COUSINE?

TOUT LE MONDE, VOICI MA COUSINE...

OLGA? CELLE À QUI VOUS AVEZ TÉLÉPHONÉ L'AUTRE JOUR?

NON, C'EST SA... JUMELLE.

OUAIS... BEAU BRIN DE FILLE.

36A

C'EST QUOI DÉJÀ VOTRE P'TIT NOM, MADEMOISELLE

JESAIPA.

JESSICA?

JE / SAI / PA !

36B

UN PRÉNOM TRÈS POPULAIRE CHEZ LES HINEXISTANTOISES DU SUD.

DU... SUD?

OUI, ILS Y SONT MAJORITAIRES. ALORS QU'ILS SONT PEU NOMBREUX AU NORD. LÀ C'EST SURTOUT DES HINEXISTANTAIS. NOUS, LES HINEXISTANTIALISTES, ON VIT PRINCIPALEMENT DANS LA CAPITALE.

VOTRE CAUSE AVANCERAIT PEUT-ÊTRE PLUS SI VOUS ARRÊTIEZ DE VOUS DIVISER?

ON PEUT JASER DE TOUT ÇA AUTOUR DE LA TABLE.

VOUS ALLEZ RESTER SOUPER AVEC NOUS, MADEMOISELLE?

C'EST GENTIL, MAIS JE SUIS SEULEMENT VENU PORTER DES PETITS PAINS DU PAYS À IG... SERGEÏ.

TU DOIS GEURRER ÉPDIS POUR QU'ILS <<PDSSENT>>, ILS ONT RESSERRÉ LES MESURES DE SÉCURITÉ.

CE SOIR-LÀ.

CHARRON, IL EST TARD, IL FAUT SE COUCHER.

NON, J'VEUX FAIRE DES P'TITS PAINS DU PAYS AVEC LA PLASTICINE DE MA SŒURETTE.

CETTE NUIT-LÀ.

À L'ENTRÉE DU SITE.

IL VEUT SAVOIR CE QU'IL Y A DANS TON SAC.

MON STOCK DE HOCKEY, PIS DES P'TITS PAINS EN PLASTICINE.

PLDSTICINE !?! CONTRE LE MUR ! TILIK, VIDE SON SDC !

JE VOUS AVERTIS, JE SUIS TRÈS CHATOUILLEUX.

HOUAAAAHA!!!

38A

OK, TU PEUX PASSER.

CAUCUS D'AVANT-MATCH.

ILS VONT AVOIR PIERRE À L'ŒIL, IL FAUT DONC FRAPPER UN GRAND COUP.

J'POURRAIS CASSER LA CHEVILLE D'UN RUSSE COMME BOBBY CLARKE EN '72?

PEUT-ÊTRE UN GESTE QUI VA LES INTRIGUER, LES DÉSTABILISER.

VOYONS, CHARRON!

38A

JE L'AI! ON MET UNE COULEUR DIFFÉRENTE DE RUBAN PAR BÂTON.

ILS VONT ESSAYER DE SAVOIR QU'EST-CE QUE ÇA SIGNIFIE.

C'EST POUR DÉSTABITRIGUER LES RUSSES.

ILS ONT TELLEMENT DE LA DIFFICULTÉ À TENIR LEUR POSITION QU'ILS DOIVENT AVOIR UNE COULEUR DE RUBAN POUR CHAQUE POSITION.

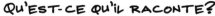

HA! HA! HA!

QU'EST-CE QU'IL RACONTE?

VOS JOUEURS SONT SI POCHES QUE ÇA LEUR PREND UNE COULEUR SPÉCIFIQUE DE RUBAN PAR POSITION.

J'VAIS LUI EN MONTRER DES COULEURS, MOI.

BEN!

POUTINE... BLABLABLA... HAIE D'HONNEUR... BLABLABLA... BÂTONS... BLABLABLA... PHOTO...

M. POUTINE! PHOTO! MON ÉQUIPE! HAIE D'HONNEUR.

Fiiiiii

PLACEZ-VOUS EN ORDRE CROISSANT DE GRANDEUR, EN TENANT VOTRE BÂTON VERS LE HAUT.

CLIC!

4ᴇ MATCH.

BON CHANCE!

БОИ СНДИСЄ!

DÈS LE DÉBUT DU MATCH, CHARRON SE VOIT DÉCERNER UNE PÉNALITÉ POUR PIÈCE D'ÉQUIPEMENT ILLÉGALE. EN EFFET, LE RUBAN DE SA PALETTE EST DE LA MÊME COULEUR QUE LA BALLE.

C'EST EUX AUTRES QUI DEVRAIENT ÊTRE DÉSTABITRIGUÉS.

AUTRE ARRÊT FACILE SUR UN LANCER FRAPPÉ DE SHARAVOPA.

HÜÜÜUN!!!

J'TE DIS QUE ELLE, ELLE A HÂTE DE PERCER TON SECRET.

LE SECRET DE SHARAVOPA EST TROP ÉVIDENT. ELLE CRIE À CHAQUE FOIS QU'ELLE S'APPRÊTE À FRAPPER LA BALLE.

ЯЯБITЯ€S

41A

QUEL MATCH PALPITANT! ET COMME LORS DE LA SÉRIE ORIGINALE EN 1972, ON SE RETROUVE AU DERNIER TIERS AVEC UN POINTAGE DE 5-3 EN FAVEUR DES REPRÉSENTANTS DE L'EST. UNE PRÉDICTION MON GÉRANT?

COMME EN '72; UNE VICTOIRE DU CANADA SUITE À UN BUT MARQUÉ DE FAÇON TRAGIQUE À 19:26.

DÉBUT DE LA TROISIÈME PÉRIODE

Fiiiiii...

41B

LUI ÊTRE AUTRE ARBITRE?

JE SAIS PAS!

HA! HA! HA!

?

SCCRRR...

JESAIPA?

POUR LA RECONNAISSANCE
DE L'HINEXISTAN !!!

42A

Clic...

PFFF... PFFF

42B

OUdddHHHHH...

POUR QUI TU TRAVAILLES ?

PARLE !

NIET...

MERCI, MONSIEUR. ON VA, À PARTIR D'ICI, CONDUIRE L'INTERROGATOIRE.

HEY! C'EST LA PLASTICINE DE MA P'TITE SŒUR?

CONNAISSEZ-VOUS CET INDIVIDU?

JAMAIS VU DE MA VIE, JURÉ SUR LA TÊTE DE LA NIÈCE DE MA COUSINE OLGA.

AVEZ-VOUS DÉJÀ OBSERVÉ D'AUTRES GENS LOUCHES OU D'ACTIONS SUBVERSIVES DANS L'ENTOURAGE DES JEUNES?

ABSOLUMENT RIEN D'ANORMAL.

VOUS NE TROUVEZ PAS ÇA CURIEUX QU'IL AIT LE MÊME TATOUAGE À LA MAIN GAUCHE QUE LA COUSINE JESAIPA?

ATTENTION, IL TENTE D'AVALER UNE CAPSULE DE CYANURE POUR S'ENLEVER LA VIE!

IL S'APPRÊTAIT À ÉCOUTER UNE COMPILATION DE HELMUT LOTTI.

C'EST CE QUE JE DISAIS, IL VOULAIT SE DONNER LA MORT !

HELMUT LOTTI, C'EST SÛR QUE CE GARS NE PARLERA PAS.

VOUS DEVRIEZ QUESTIONNER SERGEÏ, JE LE TROUVE LOUCHE.

C'EST VRAI, SON CHAT ÉTAIT SUPER AFFECTUEUX AVEC NOUS, MAIS IL LE GRIFFAIT CONTINUELLEMENT.

MOI, JE L'AI DÉJÀ VU LA MOUSTACHE À L'ENVERS, ÇA SERAIT UNE FAUSSE?

OUAIS, PIS TANTÔT, IL A FAIT SIGNE À L'ARBITRE; SI TU PARLES, JE TE COUPE LE COU.

ТДЖІ !

FALLAIT LE DIRE TOUT DE SUITE.

BEN LÀ... Y'A PAS MORT D'HOMME.

NON, MERCI, PAS DE LADA POUR MOI.

SOTCHI EST SUR LE BORD DE LA MER NOIRE, EN 3 MINUTES IL EST AU PORT, ET DE LÀ IL A ACCÈS À 6 PAYS.

VITE AU PORT !

LE MATCH PEUT REPRENDRE APRÈS QU'ON AIT TROUVÉ UN ARBITRE DE CONFIANCE... TELLEMENT DE CONFIANCE QU'IL SERA TOUT AUSSI INTÈGRE DANS SA DESCRIPTION DE LA PARTIE.

ARRÊT MIRACULEUX D'ÉLO QUI GARDE SON ÉQUIPE DANS LE MATCH.

BUT D'ALEX à 12:56.

OH! ON FAIT SAUTER LES ESPADRILLES DE PIERRE, EST-CE QUE L'ARBITRE OSERA DONNER UN LANCER DE PÉNALITÉ à 19:26?

Fiiiiii !!!

LES AUTEURS

Nom : Boily
Prénom : Luc
Surnom : Squidly
Lieu de naissance : Alma
Position : Sur le banc
Grandeur : 1,75 m
Poids : 72,5 kg
Particularité : Peu importe le sport, toujours sélectionné
après la grande Moisan.

Anecdote : C'est seulement à 18 ans, dans une ligue intramurale
au cégep, que Luc a joué pour la première fois au vrai hockey
(avec équipement complet). Outre le fait de le voir se dépêtrer sur
la glace, le plus drôle est qu'il devait observer les autres joueurs
s'habiller afin d'enfiler ses pièces d'équipement dans le bon ordre.

Carrière : À part Luc, presque tous les membres de sa gang de
hockey-balle ont joué à un niveau supérieur au hockey. L'un d'eux
fut approché par les Remparts de Québec dès l'âge de 12 ans et
deux autres jouèrent dans une équipe junior majeur, dont l'un fut
repêché par les Flyers de Philadelphie. Vous comprendrez alors
que quand Luc participait à un match, c'était parce que cette
journée-là on jouait « pour le fun ». N'ayant absolument aucune
chance de percer au hockey, Luc a décidé de mettre tous ses
efforts dans l'aspect du match où il réussissait le mieux…
« le fun ». Aujourd'hui, il gagne sa vie avec cette autre passion…
il est auteur, scripteur, humoriste et enseigne l'écriture
humoristique à l'École nationale de l'humour depuis 1999.

Nom : Beaudet
Prénom : Marc
Surnom : Plusieurs … (Pas Plusieurs, mais il en a eu plusieurs…
qu'il vaut mieux ne pas rapporter).
Lieu de naissance : À l'hôpital
Grandeur : Pas assez
Poids : Trop
Particularité : Dessine de la droite et efface de la gauche

Anecdote : Faute de talents athlétiques, Marc se servait
de sa tête. D'ailleurs, son seul et unique but fut compté
lorsqu'une passe d'un de ses coéquipiers à un autre dévia
dans le but après avoir frappé le casque de Marc.

Carrière : Le dessin s'apprend sur les bancs de l'école, mais
aussi sur le banc des joueurs. Étant plus habile avec un crayon
qu'avec un bâton, Marc a donc passé beaucoup de temps
sur le banc des joueurs… où il en a profité pour observer ses
coéquipiers. Tableau blanc et crayon-feutre de l'instructeur à la
main… il faisait ses premières victimes. Aujourd'hui, il est dans
les ligues majeures. Caricaturiste attitré du *Journal de Montréal*
depuis 2002, Marc a remporté l'équivalent de la Coupe Stanley
de la caricature, en devenant le meilleur caricaturiste du Canada
au Concours canadien de journalisme en 2006 et en 2011.
Il a également obtenu une mention honorable au *World Press
Cartoon 2009* (le Championnat du monde de la caricature)
pour sa caricature sur la génération Y.

DÉJÀ PARU : BLEU

Gangs de rue 1 : Les Rouges contre les Bleus

Dans une banlieue paisible de Montréal, à l'aube de la nouvelle saison du Canadien, la vie de quartier est animée par le bruit et les cris de jeunes jouant au hockey dans la rue. Ce sont les Rouges, fans de la Sainte-Flanelle, qui ne soupçonnent pas que leur quotidien sera bouleversé par l'arrivée d'une nouvelle famille dans leur rue, les Bleus. Dès lors, le hockey ne sera plus le même puisqu'une véritable guerre de tranchée naîtra pour déterminer qui, des Rouges ou des Bleus, sera la meilleure équipe. Mais les deux gangs rivaux ne se doutent pas qu'ils devront unir leurs efforts pour empêcher une loi qui chambardera l'univers des enfants du quartier.

Bien que ce récit nous rappelle des dossiers récurrents de notre actualité politique, où se mêlent corruption, magouille et éthique, il est un véritable reflet de ce que vivent les jeunes d'aujourd'hui tels que l'intimidation, le racisme, l'individualisme et le manque de respect. De plus, cette bande dessinée met en perspective des valeurs et principes importants comme la persévérance, le respect, la foi en soi, la solidarité, l'atteinte des objectifs, le travail d'équipe, la tolérance, la loyauté et la confiance envers les autres.

Irrésistible et pleine d'humour, elle saura plaire à tous les jeunes et les adultes qui adorent le hockey.

ISBN 978-2-89225-762-5

DÉJÀ PARU : BLANC

Gangs de rue 2 : La Marche orange

Une fois de plus, Raphaël, Pierre, Charron et les membres de leur « gang respective » devront s'unir afin de combattre un ennemi commun. Bien qu'il s'agisse encore de Marcel L'Italien (l'oligarchique entrepreneur en construction), cette fois-ci, les conséquences de ses actions toucheront une plus large partie de la population.

On se rappelle qu'au premier tome, c'est le travail de Marcel qui avait entraîné le règlement interdisant le hockey de rue. Là, Marcel entrevoit la construction du Quartier 20/60, un mégacentre commercialo-sportif, regroupant boutiques et patinoires, car il désire attirer l'équipe de hockey semi-professionnelle Les Renards de Saint-Léonard, une franchise en difficulté de la LNH (Ligue nordique de hockey). Cependant, la construction d'un tel complexe nécessiterait la destruction du boisé Bédard et la disparition de son étang… pour des équipements sportifs inaccessibles à la population et surtout aux jeunes.

Nos amis mettront sur pied la Marche orange… qui, par la force des choses, deviendra plus qu'une simple balade au cours de laquelle ils arboreront un petit rond de tissu orange épinglé à une veste…

ISBN 978-2-89225-795-3

ACHEVÉ D'IMPRIMER SUR LES PRESSES DE

TRANSCONTINENTAL INTERGLOBE

EN JANVIER 2014